SUKEN NOTEBOOK

チャート式
基礎からの　数学C

完成ノート

【複素数平面，式と曲線】

本書は，数研出版発行の参考書「チャート式 基礎からの　数学C」の
第3章「複素数平面」，　第4章「式と曲線」
の例題と練習の全問を掲載した，書き込み式ノートです。
本書を仕上げていくことで，自然に実力を身につけることができます。

目　次

第3章　複素数平面

第4章　式と曲線

１２．複素数平面

基本 例題 90

□ 解説動画

(1)　$\alpha=a+2i$，$\beta=-2-4i$，$\gamma=3+bi$ とする。4 点 0，α，β，γ が一直線上にあるとき，実数 a，b の値を求めよ。

(2)　下図の複素数平面上の点 α，β について，次の点を図に示せ。

（ア）　$\alpha+\beta$　　（イ）　$\alpha-\beta$　　（ウ）　$\alpha+2\beta$　　（エ）　$-(\alpha+2\beta)$

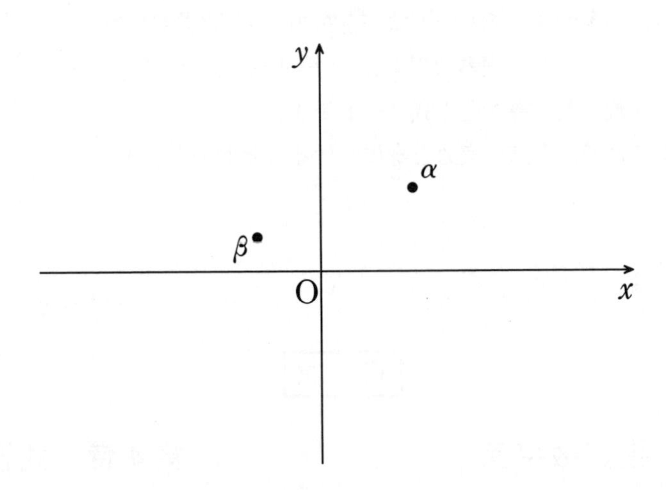

練習 (基本) **90**　(1)　$\alpha=a+3i$，$\beta=2+bi$，$\gamma=3a+(b+3)i$ とする。4 点 0，α，β，γ が一直線上にあるとき，実数 a，b の値を求めよ。

(2) 下図の複素数平面上の点 α，β について，点 $\alpha+\beta$，$\alpha-\beta$，$3\alpha+2\beta$，$\frac{1}{2}(\alpha-4\beta)$ を図に示せ。

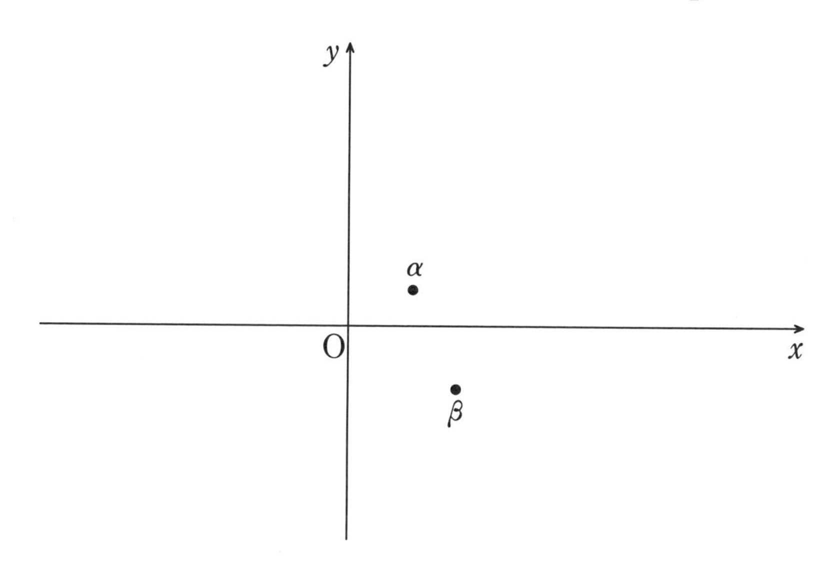

基本 例題 91

(1) $\alpha\overline{\beta}$ が実数でないとき，次の複素数は実数，純虚数のどちらであるか。

(ア) $\alpha\overline{\beta}+\overline{\alpha}\beta$

(イ) $\alpha\overline{\beta}-\overline{\alpha}\beta$

(2) a，b，c $(a \neq 0)$ は実数とする。5 次方程式 $ax^5+bx^2+c=0$ が虚数解 α をもつとき，$\overline{\alpha}$ もこの方程式の解であることを示せ。

練習 (基本) **91**　α，β は虚数とする。

(1)　任意の複素数 z に対して，$z\overline{z}+\alpha\overline{z}+\overline{\alpha}z$ は実数であることを示せ。

(2)　$\alpha+\beta$，$\alpha\beta$ がともに実数ならば，$\alpha=\overline{\beta}$ であることを示せ。

基本 例題 92

□ 解説動画

(1)　$z=1+i$ のとき，$\left|z+\dfrac{1}{z}\right|$ の値を求めよ。

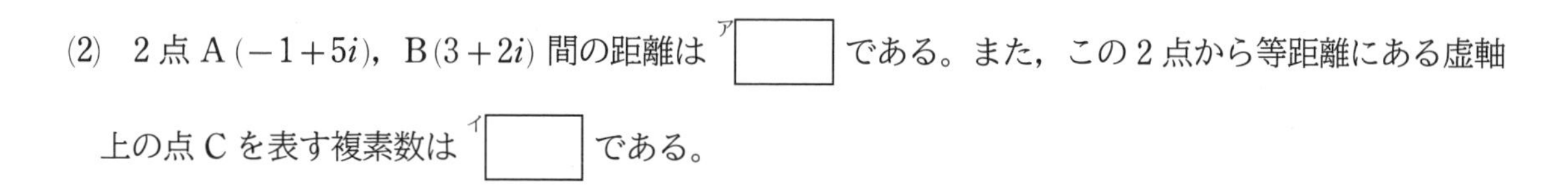

(2)　2 点 A$(-1+5i)$，B$(3+2i)$ 間の距離は ^{ア}☐ である。また，この 2 点から等距離にある虚軸上の点 C を表す複素数は ^{イ}☐ である。

練習（基本）**92**　(1)　$z=1-i$ のとき，$\left|\overline{z}-\dfrac{1}{z}\right|$ の値を求めよ。

(2)　2 点 A$(3-4i)$，B$(4-3i)$ 間の距離を求めよ。また，この 2 点から等距離にある実軸上の点 C を表す複素数を求めよ。

基本 例題 93

□ 解説動画

z，α，β を複素数とする。

(1) $|z-3|=|z+3i|$ のとき，等式 $z+i\overline{z}=0$ が成り立つことを示せ。

(2) $|\alpha|=|\beta|=|\alpha-\beta|=2$ のとき，$|\alpha+\beta|$ の値を求めよ。

練習 (基本) **93**　z，α，β を複素数とする。

(1)　$|z-2i|=|1+2iz|$ のとき，$|z|=1$ であることを示せ。

(2)　$|\alpha|=|\beta|=|\alpha+\beta|=2$ のとき，$\alpha^2+\alpha\beta+\beta^2$ の値を求めよ。

重 要 例題 94 □ 解説動画

絶対値が 1 で，$\dfrac{z+1}{z^2}$ が実数であるような複素数 z を求めよ。

練習 (重要) **94**　絶対値が1で，z^3-z が実数であるような複素数 z を求めよ。

１３．複素数の極形式と乗法，除法

基本 例題 95

□ 解説動画

次の複素数を極形式で表せ。ただし，偏角 θ は $0 \leqq \theta < 2\pi$ とする。

(1) $-1+\sqrt{3}\,i$　　(2) $-2i$

(3) $z=\cos\dfrac{\pi}{5}+i\sin\dfrac{\pi}{5}$ のとき　$2\overline{z}$

練習 (基本) **95**　次の複素数を極形式で表せ。ただし，偏角 θ は $0 \leqq \theta < 2\pi$ とする。

(1) $2-2i$　　(2) -3

(3) $\cos\dfrac{2}{3}\pi-i\sin\dfrac{2}{3}\pi$

重 要 例題 96

□ 

次の複素数を極形式で表せ。ただし，偏角 θ は $0 \leqq \theta < 2\pi$ とする。

(1) $-\cos\alpha + i\sin\alpha \quad (0 < \alpha < \pi)$

(2) $\sin\alpha + i\cos\alpha \ (0 \leqq \alpha < 2\pi)$

練習 (重要) **96**　次の複素数を極形式で表せ。ただし，偏角 θ は $0 \leqq \theta < 2\pi$ とする。

(1)　$-\cos\alpha - i\sin\alpha$ $(0 < \alpha < \pi)$

(2)　$\sin\alpha - i\cos\alpha$ $(0 \leqq \alpha < 2\pi)$

基本 例題 97

$\alpha=2+2i$，$\beta=1-\sqrt{3}\,i$ のとき，$\alpha\beta$, $\dfrac{\alpha}{\beta}$ をそれぞれ極形式で表せ。ただし，偏角 θ は $0\leqq\theta<2\pi$ とする。

練習 (基本) **97**　次の 2 つの複素数 α，β について，積 $\alpha\beta$ と商 $\dfrac{\alpha}{\beta}$ を極形式で表せ。ただし，偏角 θ は $0\leqq\theta<2\pi$ とする。

(1)　$\alpha=-1+i$，$\beta=3+\sqrt{3}\,i$

(2)　$\alpha=-2+2i$，$\beta=-1-\sqrt{3}\,i$

基本 例題 98

□ 解説動画

$1+\sqrt{3}i$，$1+i$ を極形式で表すことにより，$\cos\dfrac{\pi}{12}$，$\sin\dfrac{\pi}{12}$ の値をそれぞれ求めよ。

練習 (基本) **98**　$1+i$，$\sqrt{3}+i$ を極形式で表すことにより，$\cos\dfrac{5}{12}\pi$，$\sin\dfrac{5}{12}\pi$ の値をそれぞれ求めよ。

重 要 例題 99 □ 解説動画

(1) $\alpha=\frac{1}{\sqrt{2}}(1+i)$ とするとき，$\alpha+i$ の偏角 θ $(0\leqq\theta<2\pi)$ を求めよ。

(2) $\alpha+i$ の絶対値に注目することにより，$\cos\frac{\pi}{8}$ の値を求めよ。

練習 (重要) **99** (1) $\alpha=\frac{1}{2}(\sqrt{3}+i)$ とするとき，$\alpha-1$ を極形式で表せ。

(2) (1) の結果を利用して，$\cos\frac{5}{12}\pi$ の値を求めよ。

基本 例題 100

(1) $z=2-6i$ とする。点 z を，原点を中心として次の角だけ回転した点を表す複素数を求めよ。

(ア) $\dfrac{\pi}{6}$　　　(イ) $-\dfrac{\pi}{2}$

(2) 点 $(1-i)z$ は，点 z をどのように移動した点であるか。

練習 (基本) **100** (1) $z=2+4i$ とする。点 z を，原点を中心として $-\dfrac{2}{3}\pi$ だけ回転した点を表す複素数を求めよ。

(2) 次の複素数で表される点は，点 z をどのように移動した点であるか。

(ア) $\dfrac{-1+i}{\sqrt{2}}z$　　　(イ) $\dfrac{z}{1-\sqrt{3}i}$

(ウ) $-i\overline{z}$

基 本 例題 101

□ 解説動画

複素数平面上の 3 点 A$(1+i)$, B$(3+4i)$, C について，△ABC が正三角形となるとき，点 C を表す複素数 z を求めよ。

練習 (基本) **101**　複素数平面上の 2 点 A$(-1+i)$, B$(\sqrt{3}-1+2i)$ について，線分 AB を 1 辺とする正三角形 ABC の頂点 C を表す複素数 z を求めよ。

基本 例題 102

複素数平面上に 3 点 O (0), A $(-1+3i)$, B がある。△OAB が直角二等辺三角形となるとき，点 B を表す複素数 z を求めよ。

練習 (基本) **102**　複素数平面上の正方形において，1 組の隣り合った 2 頂点が点 1 と点 $3+3i$ であるとき，他の 2 頂点を表す複素数を求めよ。

14．ド・モアブルの定理

基本 例題 103

□ 

次の式を計算せよ。

(1) $\left(\cos\frac{\pi}{12}+i\sin\frac{\pi}{12}\right)^9$　　(2) $(1+\sqrt{3}\,i)^6$

(3) $\frac{1}{(1-i)^{10}}$

練習 (基本) **103**　次の式を計算せよ。

(1) $\left\{2\left(\cos\frac{\pi}{3}+i\sin\frac{\pi}{3}\right)\right\}^5$　　(2) $(-\sqrt{3}+i)^6$

(3) $\left(\frac{1+i}{2}\right)^{-14}$

基 本 例題 104

(1) $\left(\dfrac{1+i}{\sqrt{3}+i}\right)^n$ が実数となる最小の自然数 n の値を求めよ。

(2) 複素数 z が $z+\dfrac{1}{z}=\sqrt{2}$ を満たすとき，$z^{20}+\dfrac{1}{z^{20}}$ の値を求めよ。

練習 (基本) **104** (1) $\left(\dfrac{\sqrt{3}+3i}{\sqrt{3}+i}\right)^n$ が実数となる最大の負の整数 n の値を求めよ。

(2)　複素数 z が $z+\dfrac{1}{z}=\sqrt{3}$ を満たすとき　$z^{12}+\dfrac{1}{z^{12}}=$ $\boxed{}$

基本 例題 105

□ 

極形式を用いて，方程式 $z^6=1$ を解け。

練習 (基本) **105**　極形式を用いて，次の方程式を解け。

(1)　$z^3=1$

(2)　$z^8=1$

基本 例題 106

□ 

方程式 $z^4 = -8+8\sqrt{3}\,i$ を解け。

練習 (基本) **106**　次の方程式を解け。

(1)　$z^3=8i$

(2)　$z^4=-2-2\sqrt{3}\,i$

重 要 例題 107 □ 

複素数 α $(\alpha \neq 1)$ を 1 の 5 乗根とする。

(1) $\alpha^2+\alpha+1+\dfrac{1}{\alpha}+\dfrac{1}{\alpha^2}=0$ であることを示せ。

(2) (1) を利用して，$t=\alpha+\overline{\alpha}$ は $t^2+t-1=0$ を満たすことを示せ。

(3) (2) を利用して，$\cos\dfrac{2}{5}\pi$ の値を求めよ。

(4)　$\alpha=\cos\frac{2}{5}\pi+i\sin\frac{2}{5}\pi$ とするとき，$(1-\alpha)(1-\alpha^2)(1-\alpha^3)(1-\alpha^4)=5$ であることを示せ。

練習 (重要) **107**　複素数 $\alpha=\cos\frac{2}{7}\pi+i\sin\frac{2}{7}\pi$ に対して

(1)　次の値を求めよ。

(ア)　$\alpha+\alpha^2+\alpha^3+\alpha^4+\alpha^5+\alpha^6$

(イ)　$\frac{1}{1-\alpha}+\frac{1}{1-\alpha^6}$

(ウ)　$(1-\alpha)(1-\alpha^2)(1-\alpha^3)(1-\alpha^4)(1-\alpha^5)(1-\alpha^6)$

(2)　$t=\alpha+\overline{\alpha}$ とするとき，t^3+t^2-2t の値を求めよ。

重 要 例題 108

$\alpha=\dfrac{\sqrt{3}+i}{2}$，$\beta=\dfrac{1+i}{\sqrt{2}}$，$\gamma=-\alpha$ とするとき

(1) $\alpha^n=\gamma$ となるような最小の自然数 n の値を求めよ。

(2) $\alpha^n\beta^m=\gamma$ となるような自然数の組 $(n,\ m)$ のうちで，$n+m$ が最小となるものを求めよ。

練習 (重要) **108** (1) $\left(\dfrac{1-\sqrt{3}\,i}{2}\right)^n+1=0$ を満たす最小の自然数 n の値を求めよ。

(2) 正の整数 m, n で, $(1+i)^n=(1+\sqrt{3}\,i)^m$ かつ $m+n\leqq 100$ を満たす組 $(m,\ n)$ をすべて求めよ。

１５．複素数と図形

基本 例題 109

□ 解説動画

3 点 A$(-1+4i)$，B$(2-i)$，C$(4+3i)$ について，次の点を表す複素数を求めよ。

(1) 線分 AB を 3：2 に内分する点 P

(2) 線分 AC を 2：1 に外分する点 Q

(3) 線分 AC の中点 M

(4) 平行四辺形 ABCD の頂点 D

(5) △ABC の重心 G

練習 (基本) **109**　3 点 A$(1+2i)$，B$(-3-2i)$，C$(6+i)$ について，次の点を表す複素数を求めよ。

(1) 線分 AB を 1：2 に内分する点 P

(2) 線分 CA を 2：3 に外分する点 Q

(3) 線分 BC の中点 M

(4) 平行四辺形 ADBC の頂点 D

(5) △ABQ の重心 G

基本 例題 110

次の方程式を満たす点 z の全体は，どのような図形か。

(1) $|2z+1|=|2z-i|$　　(2) $|z+3-4i|=2$

(3) $(3z+2)(3\overline{z}+2)=9$　　(4) $(1+i)z+(1-i)\overline{z}+2=0$

練習 (基本) **110**　次の方程式を満たす点 z の全体は，どのような図形か。

(1) $|z-2i|=|z+3|$　　(2) $2|z-1+2i|=1$

(3) $(2z+1+i)(2\overline{z}+1-i)=4$　　(4) $2z+2\overline{z}=1$

(5) $(1+2i)z-(1-2i)\overline{z}=4i$

基本 例題 111

□ 解説動画

方程式 $2|z-i|=|z+2i|$ を満たす点 z の全体は，どのような図形か。

練習 (基本) **111** 次の方程式を満たす点 z の全体は，どのような図形か。

(1) $3|z|=|z-8|$

(2) $2|z+4i|=3|z-i|$

基本 例題 112

□ 

複素数 z が $|z-1-3i|=2$ を満たすとき，$|z+2+i|$ の最大値と，そのときの z の値を求めよ。

練習 (基本) **112**　複素数 z が $|z-1+3i|=\sqrt{5}$ を満たすとき，$|z+2-3i|$ の最大値および最小値と，そのときの z の値を求めよ。

基本 例題 113

□ 解説動画

点 z が原点 O を中心とする半径 1 の円上を動くとき，$w=i(z-2)$ で表される点 w はどのような図形を描くか。

練習 (基本) **113** 点 z が原点 O を中心とする半径 1 の円上を動くとき，$w=(1-i)z-2i$ で表される点 w はどのような図形を描くか。

基本 例題 114

□ 

点 P(z) が点 $-\frac{1}{2}$ を通り実軸に垂直な直線上を動くとき，$w=\frac{1}{z}$ で表される点 Q(w) はどのような図形を描くか。

練習 (基本) **114**　点 P(z) が点 $-i$ を中心とする半径 1 の円から原点を除いた円周上を動くとき，$w=\frac{1}{z}$ で表される点 Q(w) はどのような図形を描くか。

重要 例題 115 □ 

複素数平面上の点 z $\left(z \neq \frac{i}{2}\right)$ に対して，$w=\frac{z-2i}{2z-i}$ とする。点 z が次の図形上を動くとき，点 w が描く図形を求めよ。

(1) 点 i を中心とする半径 2 の円

(2) 虚軸

練習 (重要) **115**　2つの複素数 w，$z\ (z \neq 2)$ が $w=\dfrac{iz}{z-2}$ を満たしているとする。

(1)　点 z が原点を中心とする半径2の円周上を動くとき，点 w はどのような図形を描くか。

(2)　点 z が虚軸上を動くとき，点 w はどのような図形を描くか。

(3)　点 w が実軸上を動くとき，点 z はどのような図形を描くか。

重 要 例題 116

点 z が原点を中心とする半径 r の円上を動き，点 w が $w=z+\dfrac{4}{z}$ を満たす。

(1) $r=2$ のとき，点 w はどのような図形を描くか。

(2) $w=x+yi$ (x，y は実数) とおく。$r=1$ のとき，点 w が描く図形の式を x，y を用いて表せ。

練習 (重要) **116**　2 つの複素数 w，z ($z \neq 0$) の間に $w=z-\dfrac{7}{4z}$ という関係がある。点 z が原点を中心とする半径 $\dfrac{7}{2}$ の円周上を動くとき

(1) w が実数になるような z の値を求めよ。

(2)　$w=x+yi$ (x, y は実数) とおくとき，点 w が描く図形の式を x, y で表せ。

重 要 例題 117

□ 

複素数 z が $|z|\leqq 1$ を満たすとする。$w=z+2i$ で表される複素数 w について

(1)　点 w の存在範囲を複素数平面上に図示せよ。

(2)　w^2 の絶対値を r, 偏角を θ とするとき，r と θ の値の範囲をそれぞれ求めよ。ただし，$0\leqq\theta<2\pi$ とする。

練習 (重要) **117**　$|z-\sqrt{2}|\leqq 1$ を満たす複素数 z に対し，$w=z+\sqrt{2}i$ とする。点 w の存在範囲を複素数平面上に図示せよ。また，w^4 の絶対値と偏角の値の範囲を求めよ。ただし，偏角 θ は $0\leqq\theta<2\pi$ の範囲で考えよ。

重 要 例題 118 □ 

複素数 z が $|z-1| \leqq |z-4| \leqq 2|z-1|$ を満たすとき，点 z が動く範囲を複素数平面上に図示せよ。

練習 (重要) **118**　複素数 z の実部を $\mathrm{Re}\,z$ で表す。このとき，次の領域を複素数平面上に図示せよ。

(1)　$|z|>1$ かつ $\mathrm{Re}\,z<\dfrac{1}{2}$ を満たす点 z の領域

(2)　$w=\dfrac{1}{z}$ とする。点 z が (1) で求めた領域を動くとき，点 w が動く領域

重 要 例題 119

z を 0 でない複素数とする。z が不等式 $2 \leqq z+\dfrac{16}{z} \leqq 10$ を満たすとき，点 z が存在する範囲を複素数平面上に図示せよ。

練習 (重要) **119** z を 0 でない複素数とする。点 $z-\dfrac{1}{z}$ が 2 点 i, $\dfrac{10}{3}i$ を結ぶ線分上を動くとき，点 z の存在する範囲を複素数平面上に図示せよ。

基本 例題 120

□ 解説動画

複素数平面上の 3 点 A(α), B(β), C(γ) について

(1) $\alpha=1+2i$, $\beta=-2+4i$, $\gamma=2-ai$ とする。このとき，次のものを求めよ。

（ア） $a=3$ のとき，∠BAC の大きさと △ABC の面積

（イ） $a=16$ のとき，∠CBA の大きさ

(2) $\alpha=-1-i$, $\beta=i$, $\gamma=b-2i$ (b は実数の定数) とする。

（ア） 3 点 A, B, C が一直線上にあるように，b の値を定めよ。

（イ） 2 直線 AB, AC が垂直であるように，b の値を定めよ。

練習 (基本) **120**　複素数平面上の 3 点 A(α), B(β), C(γ) について

(1)　$\alpha=-i$，$\beta=-1-3i$，$\gamma=1-4i$ のとき，$\angle$BAC の大きさを求めよ。

(2)　$\alpha=2$，$\beta=1+i$，$\gamma=(3+\sqrt{3})i$ のとき，$\angle$ABC の大きさと $\triangle$ABC の面積を求めよ。

(3)　$\alpha=1+i$，$\beta=3+4i$，$\gamma=ai$ (a は実数) のとき，$a=$ ア[　　] ならば 3 点 A，B，C は一直線上にあり，$a=$ イ[　　] ならば AB$\perp$AC となる。

基本 例題 121

□ 解説動画

異なる3点 A(α)，B(β)，C(γ) が次の条件を満たすとき，△ABCの3つの角の大きさを求めよ。

(1) $\beta-\alpha=(1+\sqrt{3}\,i)(\gamma-\alpha)$

(2) $\alpha+i\beta=(1+i)\gamma$

練習 (基本) **121**　異なる3点 A(α)，B(β)，C(γ) が次の条件を満たすとき，△ABCはどんな形の三角形か。

(1) $2(\alpha-\beta)=(1+\sqrt{3}\,i)(\gamma-\beta)$

(2) $\beta(1-i)=\alpha-\gamma i$

基本 例題 122

□ 

異なる 3 点 O(0)，A(α)，B(β) に対し，等式 $2\alpha^2-2\alpha\beta+\beta^2=0$ が成り立つとき

(1) $\dfrac{\alpha}{\beta}$ の値を求めよ。

(2) △OAB はどんな形の三角形か。

練習 (基本) **122**　原点 O とは異なる 3 点 A(α)，B(β)，C(γ) がある。

(1)　$\alpha^2+\alpha\beta+\beta^2=0$ が成り立つとき，△OAB はどんな形の三角形か。

(2)　$3\alpha^2+4\beta^2+\gamma^2-6\alpha\beta-2\beta\gamma=0$ が成り立つとき

（ア）　γ を α，β で表せ。

（イ）　△ABC はどんな形の三角形か。

基 本 例題 123

□ 解説動画

右の図のように，$\triangle$ABC の外側に，正方形 ABDE および正方形 ACFG を作るとき，次の問いに答えよ。

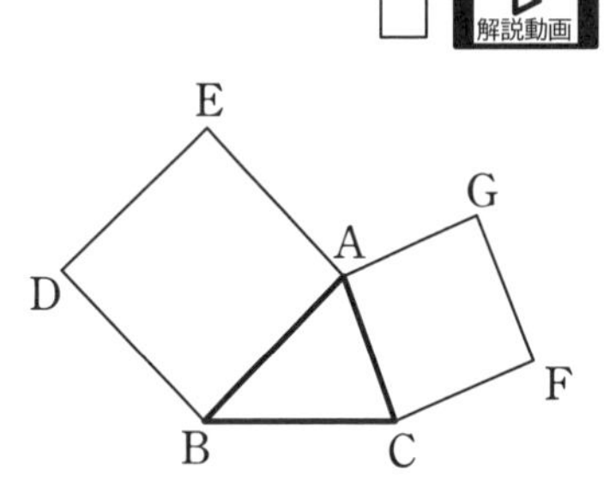

(1) 複素数平面上で A(0)，B(β)，C(γ) とするとき，点 E，G を表す複素数を求めよ。

(2) 線分 EG の中点を M とするとき，$2\mathrm{AM}=\mathrm{BC}$，$\mathrm{AM}\perp\mathrm{BC}$ であることを証明せよ。

練習 (基本) **123** 右の図のように，$\triangle$ABC の外側に，正方形 ABDE および正方形 ACFG を作るとき，$\mathrm{BG}=\mathrm{CE}$，$\mathrm{BG}\perp\mathrm{CE}$ であることを証明せよ。

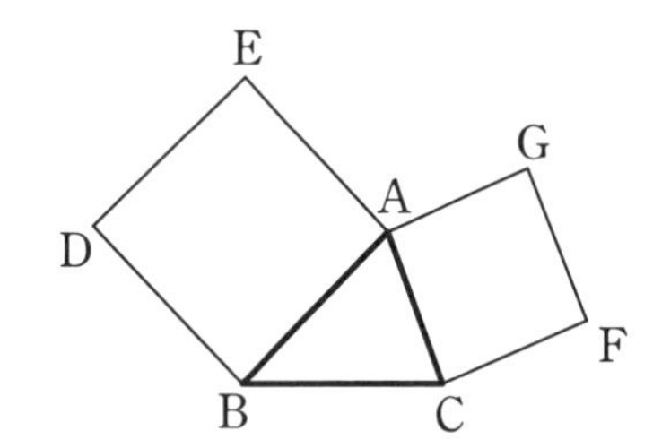

基本 例題 124 □ 

単位円上の異なる 3 点 A (α), B (β), C (γ) と，この円上にない点 H (z) について，等式 $z=\alpha+\beta+\gamma$ が成り立つとき，H は △ABC の垂心であることを証明せよ。

練習 (基本) **124**　単位円上に異なる 3 点 A(α), B(β), C(γ) がある。$w=-\overline{\alpha}\beta\gamma$ とおくと，$w \neq \alpha$ のとき，点 D(w) は単位円上にあり，AD⊥BC であることを示せ。

重 要 例題 125

複素数平面上において，三角形の頂点をなす 3 点を O (0)，A (α)，B (β) とする。

(1) 線分 OA の垂直二等分線上の点を表す複素数 z は，$\overline{\alpha}z+\alpha\overline{z}-\alpha\overline{\alpha}=0$ を満たすことを示せ。

(2) △OAB の外心を表す複素数を z_1 とするとき，z_1 を α，$\overline{\alpha}$，β，$\overline{\beta}$ で表せ。

練習 (重要) **125**　複素数平面上に 3 点 O，A，B を頂点とする △OAB がある。ただし，O は原点とする。△OAB の外心を P とする。3 点 A，B，P が表す複素数をそれぞれ α，β，z とするとき，$\alpha\beta=z$ が成り立つとする。このとき，α の満たすべき条件を求め，点 A(α) が描く図形を複素数平面上に図示せよ。

重 要 例題 126

異なる 3 点 O(0)，A(α)，B(β) を頂点とする △OAB の内心を P(z) とする。このとき，z は次の等式を満たすことを示せ。

$$z=\frac{|\beta|\alpha+|\alpha|\beta}{|\alpha|+|\beta|+|\beta-\alpha|}$$

練習 (重要) **126**　異なる 3 点 O(0)，A(α)，B(β) を頂点とする △OAB の頂角 O 内の傍心を P(z) とするとき，z は次の等式を満たすことを示せ。

$$z=\frac{|\beta|\alpha+|\alpha|\beta}{|\alpha|+|\beta|-|\beta-\alpha|}$$

基本 例題 127

(1)　点 P(z) が，異なる 2 点 A(α)，B(β) を通る直線上にあるとき，
$(\overline{\beta}-\overline{\alpha})z-(\beta-\alpha)\overline{z}=\alpha\overline{\beta}-\overline{\alpha}\beta$ が成り立つことを示せ。

(2)　点 P(z) が，原点 O を中心とする半径 r の円周上の点 A(α) における接線上にあるとき，
$\overline{\alpha}z+\alpha\overline{z}=2r^2$ が成り立つことを示せ。

練習 (基本) **127**　点 P(z) が次の直線上にあるとき，z が満たす関係式を求めよ。
(1)　2 点 $2+i$，3 を通る直線

(2) 点 $-4+4i$ を中心とする半径 $\sqrt{13}$ の円上の点 $-2+i$ における接線

重要 例題 128 □ 

複素数平面上の原点を O とし，O と異なる定点を A(α) とする。異なる 2 点 P(z) とQ(w) が直線 OA に関して対称であるとき，$\overline{\alpha}w=\alpha\overline{z}$ が成り立つことを証明せよ。

練習 (重要) **128**　α を絶対値が 1 の複素数とし，等式 $z=\alpha^2\overline{z}$ を満たす複素数 z の表す複素数平面上の図形を S とする。

(1)　$z=\alpha^2\overline{z}$ が成り立つことと，$\dfrac{z}{\alpha}$ が実数であることは同値であることを証明せよ。また，このことを用いて，図形 S は原点を通る直線であることを示せ。

(2)　複素数平面上の点 P(w) を直線 S に関して対称移動した点を Q(w') とする。このとき，w' を w と α を用いて表せ。ただし，点 P は直線 S 上にないものとする。

基本 例題 129

3 点 O(0)，A(1)，B(i) を頂点とする △OAB は，∠O を直角の頂点とする直角二等辺三角形である。このことを用いて，3 点 P(α)，Q(β)，R(γ) によってできる △PQR が，∠P を直角の頂点とする直角二等辺三角形であるとき，等式 $2\alpha^2+\beta^2+\gamma^2-2\alpha\beta-2\alpha\gamma=0$ が成り立つことを示せ。

練習 (基本) **129**　3 点 A(-1)，B(1)，C($\sqrt{3}i$) を頂点とする △ABC が正三角形であることを用いて，3 点 P(α)，Q(β)，R(γ) を頂点とする △PQR が正三角形であるとき，等式
$\alpha^2+\beta^2+\gamma^2-\alpha\beta-\beta\gamma-\gamma\alpha=0$ が成り立つことを証明せよ。

１６．関連発展問題

演 習 例題 130 □ 解説動画

$a>1$ のとき，x の方程式 $ax^2-2x+a=0$ ……① の 2 つの解を α，β とし，x の方程式 $x^2-2ax+1=0$ ……② の 2 つの解を γ，δ とする。A(α)，B(β)，C(γ)，D(δ) とするとき，4 点 A，B，C，D は 1 つの円周上にあることを証明せよ。

練習 (演習) **130**　実数 a，b，c に対して，$F(x)=x^4+ax^3+bx^2+ax+1$，$f(x)=x^2+cx+1$ とおく。また，複素数平面内の単位円から 2 点 1，-1 を除いたものを T とする。

(1)　$f(x)=0$ の解がすべて T 上にあるための必要十分条件を c を用いて表せ。

(2)　$F(x)=0$ の解がすべて T 上にあるならば，$F(x)=(x^2+c_1x+1)(x^2+c_2x+1)$ を満たす実数 c_1，c_2 が存在することを示せ。

演 習 例題 131 □ 

(1) 複素数平面上の 3 点 z, z^2, z^3 が三角形の頂点となるための条件を求めよ。

(2) 複素数平面上の 3 点 z, z^2, z^3 が，二等辺三角形の頂点になるような点 z の全体を複素数平面上に図示せよ。また，正三角形の頂点になるような z の値を求めよ。

練習 (演習) **131**　複素数平面上で，相異なる 3 点 1，α，α^2 は実軸上に中心をもつ 1 つの円周上にある。このような点 α の存在する範囲を複素数平面上に図示せよ。更に，この円の半径を $|\alpha|$ を用いて表せ。

演 習 例題 132 □ 解説動画

(1) 4 点 A (α)，B (β)，C (γ)，D (δ) を頂点とする四角形 ABCD について，次のことを証明せよ。

$$\text{四角形 ABCD が円に内接する} \iff \frac{\beta-\gamma}{\alpha-\gamma} \div \frac{\beta-\delta}{\alpha-\delta} > 0$$

(2) 4 点 A $(7+i)$，B $(1+i)$，C $(-6i)$，D (8) を頂点とする四角形 ABCD は，円に内接することを示せ。

練習 (演習) **132** 4 点 O(0)，A$(4i)$，B$(5-i)$，C$(1-i)$ は 1 つの円周上にあることを示せ。

演 習 例題 133

□ 解説動画

(1) $\dfrac{1+z}{1-z}=\cos\theta+i\sin\theta$ が成り立つとき，$z=i\tan\dfrac{\theta}{2}$ と表されることを示せ。

(2) 方程式 $(z+1)^7+(z-1)^7=0$ を解け。

練習 (演習) **133** (1) n を自然数とするとき，$(1+z)^{2n}$，$(1-z)^{2n}$ をそれぞれ展開せよ。

(2) n は自然数とする。$f(z)={}_{2n}\mathrm{C}_1 z+{}_{2n}\mathrm{C}_3 z^3+\cdots\cdots+{}_{2n}\mathrm{C}_{2n-1} z^{2n-1}$ とするとき，方程式 $f(z)=0$ の解は $z=\pm i\tan\dfrac{k\pi}{2n}$ $(k=0,\ 1,\ \cdots\cdots,\ n-1)$ と表されることを示せ。

演習 例題 134

$z_1=3$，$z_{n+1}=(1+i)z_n+i$ $(n\geqq1)$ によって定まる複素数の数列 $\{z_n\}$ について

(1) z_n を求めよ。

(2) z_n が表す複素数平面の点を P_n とする。P_n，P_{n+1}，P_{n+2} を 3 頂点とする三角形の面積を求めよ。

練習 (演習) **134**　偏角 θ が 0 より大きく $\dfrac{\pi}{2}$ より小さい複素数 $\alpha=\cos\theta+i\sin\theta$ を考える。

$z_0=0$，$z_1=1$ とし，$z_k-z_{k-1}=\alpha(z_{k-1}-z_{k-2})$ $(k=2,\ 3,\ 4,\ \cdots\cdots)$ により数列 $\{z_k\}$ を定義するとき，複素数平面上で z_k $(k=0,\ 1,\ 2,\ \cdots\cdots)$ の表す点を P_k とする。

(1) z_k を α を用いて表せ。

(2) $\mathrm{A}\left(\dfrac{1}{1-\alpha}\right)$ とするとき，点 P_k $(k=0,\ 1,\ 2,\ \cdots\cdots)$ は点 A を中心とする 1 つの円周上にあることを示せ。

演習 例題 135 □ 

数列 $\{a_n\}$ と $\{b_n\}$ は $a_1=b_1=2$，$a_{n+1}=\dfrac{\sqrt{2}}{4}a_n-\dfrac{\sqrt{6}}{4}b_n$，$b_{n+1}=\dfrac{\sqrt{6}}{4}a_n+\dfrac{\sqrt{2}}{4}b_n$ $(n=1,\ 2,\ \cdots\cdots)$ を満たすものとする。a_n を実部，b_n を虚部とする複素数を z_n で表すとき

(1) $z_{n+1}=wz_n$ を満たす複素数 w と，その絶対値 $|w|$ を求めよ。

(2) 複素数平面上で，点 z_{n+1} は点 z_n をどのように移動した点であるかを答えよ。

(3) 数列 $\{a_n\}$ と $\{b_n\}$ の一般項を求めよ。

(4) 複素数平面上の 3 点 0，z_n，z_{n+1} を頂点とする三角形の周と内部を塗りつぶしてできる図形を T_n とする。このとき，複素数平面上で T_1，T_2，……，T_n，…… によって塗りつぶされる領域の面積を求めよ。

練習(演習)**135**　複素数平面上を，点Pが次のように移動する。ただし，n は自然数である。

1. 時刻0では，Pは原点にいる。時刻1まで，Pは実軸の正の方向に速さ1で移動する。移動後のPの位置を $Q_1(z_1)$ とすると $z_1=1$ である。

2. 時刻1にPは $Q_1(z_1)$ において進行方向を $\frac{\pi}{4}$ 回転し，時刻2までその方向に速さ $\frac{1}{\sqrt{2}}$ で移動する。移動後のPの位置を $Q_2(z_2)$ とすると $z_2=\frac{3+i}{2}$ である。

3. 以下同様に，時刻 n にPは $Q_n(z_n)$ において進行方向を $\frac{\pi}{4}$ 回転し，時刻 $n+1$ までその方向に速さ $\left(\frac{1}{\sqrt{2}}\right)^n$ で移動する。移動後のPの位置を $Q_{n+1}(z_{n+1})$ とする。

$\alpha=\frac{1+i}{2}$ として，次の問いに答えよ。

(1)　z_3，z_4 を求めよ。

(2)　z_n を α，n を用いて表せ。

(3)　z_n の実部が 1 より大きくなるようなすべての n を求めよ。

17．放物線，楕円，双曲線

基本 例題 136

□ 解説動画

(1) 焦点が点 $(2,\ 0)$，準線が直線 $x=-2$ である放物線の方程式を求めよ。また，その概形をかけ。

(2) 次の放物線の焦点と準線を求め，その概形をかけ。

（ア） $y^2=-3x$

（イ） $y=2x^2$

(3) 点 $\mathrm{F}(4,\ 0)$ を通り，直線 ℓ ： $x=-4$ に接する円の中心 P の軌跡を求めよ。

練習 (基本) **136** (1) 放物線 $x^2=-8y$ の焦点と準線を求め，その概形をかけ。

(2) 点 (3, 0) を通り，直線 $x=-3$ に接する円の中心の軌跡を求めよ。

(3) 頂点が原点で，焦点が x 軸上にあり，点 (9, −6) を通る放物線の方程式を求めよ。

基本 例題 137 □ 

円 $(x-4)^2+y^2=1$ と直線 $x=-3$ の両方に接する円の中心 P の軌跡を求めよ。

練習 (基本) **137**　半円 $x^2+y^2=36$，$x \geqq 0$ および y 軸の $-6 \leqq y \leqq 6$ の部分の，両方に接する円の中心 P の軌跡を求めよ。

基 本 例題 138

次の楕円の長軸・短軸の長さ，焦点を求めよ。また，その概形をかけ。

(1) $\dfrac{x^2}{16}+\dfrac{y^2}{9}=1$

(2) $25x^2+16y^2=400$

練習 (基本) **138**　次の楕円の長軸・短軸の長さ，焦点を求めよ。また，その概形をかけ。

(1) $\dfrac{x^2}{25}+\dfrac{y^2}{18}=1$

(2) $56x^2+49y^2=784$

基本 例題 139

□ 解説動画

焦点が F(3, 0), F′(−3, 0) で点 A(−4, 0) を通る楕円の方程式を求めよ。

練習（基本）**139**　次のような楕円の方程式を求めよ。

(1)　2 点 (2, 0), (−2, 0) を焦点とし，この 2 点からの距離の和が 6

(2)　楕円 $\dfrac{x^2}{3}+\dfrac{y^2}{5}=1$ と焦点が一致し，短軸の長さが 4

(3)　長軸が x 軸上，短軸が y 軸上にあり，2 点 $(-2,\ 0)$，$\left(1,\ \dfrac{\sqrt{3}}{2}\right)$ を通る。

基本 例題 140

円 $x^2+y^2=25$ を x 軸をもとにして y 軸方向に $\dfrac{3}{5}$ 倍に縮小すると，どのような曲線になるか。

練習 (基本) **140**　円 $x^2+y^2=9$ を次のように拡大または縮小した楕円の方程式と焦点を求めよ。

(1)　x 軸をもとにして y 軸方向に 3 倍に拡大

(2)　y 軸をもとにして x 軸方向に $\frac{2}{3}$ 倍に縮小

基本 例題 141 □ 

長さ 2 の線分の両端 A，B がそれぞれ x 軸および y 軸上を移動するとする。線分 AB の延長上に BP$=1$ となるように点 P をとるとき，点 P の軌跡を求めよ。

練習 (基本) **141**　x 軸上の動点 P$(a,\ 0)$，y 軸上の動点 Q$(0,\ b)$ が PQ$=1$ を満たしながら動くとき，線分 PQ を $1:2$ に内分する点 T の軌跡の方程式を求め，その概形を図示せよ。

基本 例題 142

□ 解説動画

次の双曲線の焦点と漸近線を求めよ。また，その概形をかけ。

(1) $x^2-\dfrac{y^2}{4}=1$

(2) $9x^2-25y^2=-225$

練習 (基本) **142** 次の双曲線の焦点と漸近線を求めよ。また，その概形をかけ。

(1) $\dfrac{x^2}{6}-\dfrac{y^2}{6}=1$

(2) $16x^2-9y^2+144=0$

基本 例題 143

□ 

次のような双曲線の方程式を求めよ。

(1) 2 点 $(5,\ 0)$, $(-5,\ 0)$ を焦点とし，焦点からの距離の差が 8 である。

(2) 焦点が 2 点 $(0,\ 4)$, $(0,\ -4)$ で，漸近線が直線 $y=\pm\dfrac{1}{\sqrt{3}}x$ である。

練習 (基本) **143** 次のような双曲線の方程式を求めよ。

(1) 2 点 (4, 0), (−4, 0) を焦点とし，焦点からの距離の差が 6

(2) 漸近線が直線 $y=\pm 2x$ で，点 (3, 0) を通る。

(3) 中心が原点で，漸近線が直交し，焦点の 1 つが点 (3, 0)

基本 例題 144

□ 

2 つの円 $C_1:(x+5)^2+y^2=36$ と円 $C_2:(x-5)^2+y^2=4$ に外接する円 C の中心の軌跡を図示せよ。

練習 (基本) **144**　点 $(3,\ 0)$ を通り，円 $(x+3)^2+y^2=4$ と互いに外接する円 C の中心の軌跡を求めよ。

基本 例題 145 □ 

放物線 $y^2=6x$ 上の点 P と，定点 A $(a,\ 0)$ の距離の最小値を求めよ。ただし，a は実数の定数とする。

練習 (基本) **145** (1) 双曲線 $x^2-\frac{y^2}{2}=1$ 上の点 P と点 A $(0,\ 2)$ の距離を最小にする P の座標と，そのときの距離を求めよ。

(2) 楕円 $\frac{x^2}{4}+y^2=1$ 上の点 P と定点 A $(a,\ 0)$ の距離の最小値を求めよ。ただし，a は実数の定数とする。

基本 例題 146

□ 

(1) 楕円 $4x^2+25y^2=100$ を x 軸方向に -2，y 軸方向に 3 だけ平行移動した楕円の方程式を求めよ。また，その焦点を求めよ。

(2) 曲線 $9x^2-4y^2-36x-24y-36=0$ の概形をかけ。

練習 (基本) **146** 次の方程式で表される曲線はどのような図形を表すか。また，焦点を求めよ。

(1) $x^2+4y^2+4x-24y+36=0$

(2) $2y^2-3x+8y+10=0$

(3) $2x^2-y^2+8x+2y+11=0$

基本 例題 147

□ 

次のような 2 次曲線の方程式を求めよ。

(1) 2 点 $(4,\ 2)$, $(-2,\ 2)$ を焦点とし，長軸の長さが 10 の楕円

(2) 2 点 $(5,\ 2)$, $(5,\ -8)$ を焦点とし，焦点からの距離の差が 6 の双曲線

練習 (基本) **147**　次のような2次曲線の方程式を求めよ。

(1)　焦点が点 $(6,\ 3)$，準線が直線 $x=-2$ である放物線

(2)　漸近線が直線 $y=\dfrac{x}{\sqrt{2}}+3$，$y=-\dfrac{x}{\sqrt{2}}+3$ で，点 $(2,\ 4)$ を通る双曲線

重 要 例題 148 □ 

(1) 点 P$(X,\ Y)$ を，原点 O を中心として角 θ だけ回転した点を Q$(x,\ y)$ とするとき，X, Y をそれぞれ x, y, θ で表せ。

(2) 曲線 $5x^2+2\sqrt{3}xy+7y^2=16$ ……① を，原点 O を中心として $\dfrac{\pi}{6}$ だけ回転して得られる曲線の方程式を求めよ。

練習 (重要) **148**　曲線 $C: x^2+6xy+y^2=4$ を，原点を中心として $\frac{\pi}{4}$ だけ回転して得られる曲線の方程式を求めることにより，曲線 C が双曲線であることを示せ。

重 要 例題 149

複素数平面上の点 $z=x+yi$ (x, y は実数, i は虚数単位) が次の条件を満たすとき, x, y が満たす関係式を求め, その関係式が表す図形の概形を図示せよ。

(1) $|z+3|+|z-3|=12$

(2) $|2z|=|z+\overline{z}+4|$

練習 (重要) **149**　複素数平面上の点 $z=x+yi$ (x, y は実数，i は虚数単位) が次の条件を満たすとき，x, y が満たす関係式を求め，その関係式が表す図形の概形を図示せよ。

(1)　$|z-4i|+|z+4i|=10$

(2)　$|z+3|=|z-3|+4$

１８． ２次曲線と直線

基本 例題 150

□ 解説動画

次の 2 次曲線と直線は共有点をもつか。共有点をもつ場合には，その点の座標を求めよ。

(1)　$4x^2+9y^2=36$，$2x+3y=6$

(2)　$9x^2-4y^2=36$，$2x-y=1$

練習 (基本) **150**　次の 2 次曲線と直線は共有点をもつか。共有点をもつ場合には，交点・接点の別とその点の座標を求めよ。

(1)　$4x^2-y^2=4$，$2x-3y+2=0$

(2)　$y^2=-4x$，$y=2x-3$

(3)　$3x^2+y^2=12$，$x+2y=2\sqrt{13}$

基本 例題 151

□ 解説動画

次の曲線と直線の共有点の個数を求めよ。ただし，k，m は定数とする。

(1)　$x^2+4y^2=20$，$y=x+k$

(2)　$4x^2-y^2=4$，$y=mx$

練習 (基本) **151**　(1)　m を定数とする。放物線 $y^2=-8x$ と直線 $x+my=2$ の共有点の個数を求めよ。

(2) 双曲線 $\frac{x^2}{5}-\frac{y^2}{4}=1$ が直線 $y=kx+4$ とただ1つの共有点をもつとき，定数 k の値を求めよ。

基本 例題 152 □ 

直線 $y=4x+1$ と楕円 $4x^2+y^2=4$ が交わってできる弦の中点の座標，および長さを求めよ。

練習 (基本) **152** 次の直線と曲線が交わってできる弦の中点の座標と長さを求めよ。

(1) $y=3-2x$, $x^2+4y^2=4$

(2) $x+2y=3$, $x^2-y^2=-1$

基 本 例題 153

双曲線 $x^2-2y^2=4$ と直線 $y=-x+k$ が異なる 2 点 P，Q で交わるとき

(1) 定数 k のとりうる値の範囲を求めよ。

(2) (1) の範囲で k を動かしたとき，線分 PQ の中点 M の軌跡を求めよ。

練習 (基本) **153** 楕円 $E:\dfrac{x^2}{9}+\dfrac{y^2}{4}=1$ と直線 $\ell:x-y=k$ が異なる 2 個の共有点をもつとき

(1) 定数 k のとりうる値の範囲を求めよ。

(2)　k が (1) で求めた範囲を動くとき，直線 ℓ と楕円 E の 2 個の共有点を結ぶ線分の中点 P の軌跡を求めよ。

重要 例題 154　□ 

楕円 $x^2+2y^2=1$ と放物線 $4y=2x^2+a$ が異なる 4 点を共有するための，定数 a の値の範囲を求めよ。

練習 (重要) **154**　2 つの曲線 C_1：$\left(x-\dfrac{3}{2}\right)^2+y^2=1$ と C_2：$x^2-y^2=k$ が少なくとも 3 点を共有するのは，正の定数 k がどんな値の範囲にあるときか。

１９．２次曲線の接線

基 本 例題 155

□ 解説動画

点 $(-1,\ 3)$ から楕円 $\dfrac{x^2}{12}+\dfrac{y^2}{4}=1$ に引いた接線の方程式を求めよ。

練習 (基本) **155** (1) 点 $(-1,\ 3)$ から楕円 $\dfrac{x^2}{12}+\dfrac{y^2}{4}=1$ に引いた接線の方程式を，2 次方程式の判別式を利用して求めよ。

(2) 次の 2 次曲線の，与えられた点から引いた接線の方程式を求めよ。

(ア) $x^2-4y^2=4$，点 $(2,\ 3)$

(イ) $y^2=8x$，点 $(3,\ 5)$

基本 例題 156

□ 

放物線 $y^2=4px$ $(p>0)$ 上の点 $\mathrm{P}(x_1,\ y_1)$ における接線と x 軸との交点を T，放物線の焦点を F とすると，$\angle\mathrm{PTF}=\angle\mathrm{TPF}$ であることを証明せよ。ただし，$x_1>0$，$y_1>0$ とする。

練習 (基本) **156** 双曲線 $\frac{x^2}{9}-\frac{y^2}{16}=1$ 上の点 $\mathrm{P}(x_1,\ y_1)$ における接線は，点 P と 2 つの焦点 F，F′ とを結んでできる ∠FPF′ を 2 等分することを証明せよ。ただし，$x_1>0$，$y_1>0$ とする。

基本 例題 157

□ 

双曲線 $x^2-4y^2=4$ 上の点 $(a,\ b)$ における接線の傾きが m のとき，次の問いに答えよ。ただし，$b\fallingdotseq 0$ とする。

(1) a，b，m の間の関係式を求めよ。

(2) この双曲線上の点と直線 $y=2x$ の間の距離を d とする。d の最小値を求めよ。また，d の最小値を与える曲線上の点の座標を求めよ。

練習 (基本) **157**　楕円 $C:\dfrac{x^2}{3}+y^2=1$ と 2 定点 A$(0,\ -1)$，P$\left(\dfrac{3}{2},\ \dfrac{1}{2}\right)$ がある。楕円 C 上を動く点 Q に対し，△APQ の面積が最大となるとき，点 Q の座標および △APQ の面積を求めよ。

重 要 例題 158

楕円 $x^2+4y^2=4$ について，楕円の外部の点 $\mathrm{P}(a,\ b)$ から，この楕円に引いた 2 本の接線が直交するような点 P の軌跡を求めよ。

練習 (重要) **158**　a は正の定数とする。点 $(1,\ a)$ を通り，双曲線 $x^2-4y^2=2$ に接する 2 本の直線が直交するとき，a の値を求めよ。

重 要 例題 159

□ 

楕円 $Ax^2+By^2=1$ に，この楕円の外部にある点 P$(x_0,\ y_0)$ から引いた 2 本の接線の 2 つの接点を Q, R とする。次のことを示せ。

(1) 直線 QR の方程式は $Ax_0x+By_0y=1$ である。

(2) 楕円 $Ax^2+By^2=1$ の外部にあって，直線 QR 上にある点 S からこの楕円に引いた 2 本の接線の 2 つの接点を通る直線 ℓ は，点 P を通る。

練習 (重要) **159**　双曲線 $x^2-y^2=1$ 上の1点 $\mathrm{P}(x_0,\ y_0)$ から円 $x^2+y^2=1$ に引いた2本の接線の両接点を通る直線を ℓ とする。ただし，$y_0 \neq 0$ とする。

(1)　直線 ℓ は，方程式 $x_0x+y_0y=1$ で与えられることを示せ。

(2)　直線 ℓ は，双曲線 $x^2-y^2=1$ に接することを証明せよ。

20．2次曲線の性質，2次曲線と領域

基本 例題 160

□ 

$a>0$，$a \neq 1$ とする。点 A$(a,\ 0)$ からの距離と直線 $x=\dfrac{1}{a}$ からの距離の比が $a:1$ である点 P の軌跡を求めよ。

練習 (基本) **160**　次の条件を満たす点 P の軌跡を求めよ。

(1)　点 F$(1,\ 0)$ と直線 $x=3$ からの距離の比が $1:\sqrt{3}$ であるような点 P

(2)　点 F$(3,\ 1)$ と直線 $x=\dfrac{4}{3}$ からの距離の比が $3:2$ であるような点 P

基本 例題 161

□ 解説動画

楕円上にあって長軸，短軸上にない点 P と短軸の両端を結ぶ 2 つの直線が，長軸またはその延長と交わる点をそれぞれ Q，R とする。楕円の中心を O とすると，線分 OQ，OR の長さの積は一定であることを証明せよ。

練習 (基本) **161**　双曲線上の任意の点 P から 2 つの漸近線に垂線 PQ，PR を下ろすと，線分の長さの積 PQ·PR は一定であることを証明せよ。

重 要 例題 162

□ 

実数 x，y が 2 つの不等式 $y \leqq x+1$，$x^2+4y^2 \leqq 4$ を満たすとき，$y-2x$ の最大値，最小値を求めよ。

練習 (重要) **162**　実数 x，y が 2 つの不等式 $x^2+9y^2 \leqq 9$，$y \geqq x$ を満たすとき，$x+3y$ の最大値，最小値を求めよ。

重 要 例題 163

□ 

連立不等式 $x-2y+3\geqq 0$，$2x-y\leqq 0$，$x+y\geqq 0$ の表す領域を A とする。点 $(x,\ y)$ が領域 A を動くとき，y^2-4x の最大値と最小値を求めよ。

練習 (重要) **163**　連立不等式 $x+3y-5 \leqq 0$，$x+y-3 \geqq 0$，$y \geqq 0$ の表す領域を A とする。点 $(x,\ y)$ が領域 A を動くとき，x^2-y^2 の最大値と最小値を求めよ。

重要 例題 164

双曲線 $\dfrac{x^2}{4}-\dfrac{y^2}{9}=1$ と直線 $y=ax+b$ が共有点をもつような点 $(a,\ b)$ 全体からなる領域 E を ab 平面上に図示せよ。

練習 (重要) **164**　xy 平面上に定点 A(0, 1) がある。x 軸上に点 P$(t,\ 0)$ をとり，P を中心とし，半径 $\frac{1}{2}$AP の円 C を考える。t が実数のとき，円 C の通過する領域を xy 平面上に図示せよ。

２１．媒介変数表示

基本 例題 165

□ 解説動画

次の式で表される点 P$(x,\ y)$ は，どのような曲線を描くか。

(1) $\begin{cases} x=t+1 \\ y=\sqrt{t} \end{cases}$

(2) $\begin{cases} x=\cos\theta \\ y=\sin^2\theta+1 \end{cases}$

(3) $\begin{cases} x=3\cos\theta+2 \\ y=4\sin\theta+1 \end{cases}$

(4) $\begin{cases} x=2^t+2^{-t} \\ y=2^t-2^{-t} \end{cases}$

練習 (基本) **165**　次の式で表される点 P$(x,\ y)$ は，どのような曲線を描くか。

(1) $\begin{cases} x=2\sqrt{t}+1 \\ y=4t+2\sqrt{t}+3 \end{cases}$

(2) $\begin{cases} x=\sin\theta\cos\theta \\ y=1-\sin 2\theta \end{cases}$

(3) $\begin{cases} x=3t^2 \\ y=6t \end{cases}$

(4) $\begin{cases} x=5\cos\theta \\ y=2\sin\theta \end{cases}$

(5) $x=\dfrac{2}{\cos\theta}$， $y=\tan\theta$

(6) $\begin{cases} x=3^{t+1}+3^{-t+1}+1 \\ y=3^{t}-3^{-t} \end{cases}$

基本 例題 166

□ 解説動画

(1) 放物線 $y=x^2-2(t+1)x+2t^2-t$ の頂点は，t の値が変化するとき，どんな曲線を描くか。

(2) 定円 $x^2+y^2=r^2$ の周上を点 $\mathrm{P}(x,\ y)$ が動くとき，座標が $(y^2-x^2,\ 2xy)$ で表される点 Q はある円の周上を動く。その円の中心の座標と半径を求めよ。

練習 (基本) **166** (1) 放物線 $y^2-4x+2ty+5t^2-4t=0$ の焦点 F は，t の値が変化するとき，どんな曲線を描くか。

(2) 点 P$(x,\ y)$ が，原点を中心とする半径 1 の円周上を反時計回りに 1 周するとき，点 $\mathrm{Q}_1(-y,\ x)$，点 $\mathrm{Q}_2(x^2+y^2,\ 0)$ は，原点の周りを反時計回りに何周するか。

基本 例題 167

□ 解説動画

楕円 $\dfrac{x^2}{a^2}+\dfrac{y^2}{b^2}=1$ $(0<b<a)$ の第 1 象限の部分上にある点 P における楕円の法線が，x 軸，y 軸と交わる点をそれぞれ Q，R とする。このとき，△OQR (O は原点) の面積 S のとりうる値の範囲を求めよ。

練習 (基本) **167**　実数 x，y が $2x^2+3y^2=1$ を満たすとき，x^2-y^2+xy の最大値と最小値を求めよ。

基本 例題 168

□ 

(1)　双曲線 $x^2-y^2=1$ と直線 $y=-x+t$ との交点を考えて，この双曲線を媒介変数 t を用いて表せ。

(2)　t を媒介変数とする。$x=\dfrac{3}{1+t^2}$，$y=\dfrac{3t}{1+t^2}$ で表された曲線はどのような図形を表すか。

練習 (基本) **168**　t を媒介変数とする。次の式で表された曲線はどのような図形を表すか。

(1)　$x=\dfrac{2(1+t^2)}{1-t^2}$，$y=\dfrac{6t}{1-t^2}$

(2)　$x\sin t=\sin^2 t+1$，$y\sin^2 t=\sin^4 t+1$

重 要 例題 169 □ 

半径 b の円 C が，原点 O を中心とする半径 a の定円 O に外接しながら滑ることなく回転するとき，円 C 上の定点 $\mathrm{P}(x,\ y)$ が，初め定円 O の周上の定点 $\mathrm{A}(a,\ 0)$ にあったものとして，点 P が描く曲線を媒介変数 θ で表せ。ただし，円 C の中心 C と O を結ぶ線分の，x 軸の正方向からの回転角を θ とする。

練習 (重要) **169**　$a>2b$ とする。半径 b の円 C が原点 O を中心とする半径 a の定円 O に内接しながら滑ることなく回転していく。円 C 上の定点 P$(x,\ y)$ が，初め定円 O の周上の定点 A$(a,\ 0)$ にあったものとして，円 C の中心 C と原点 O を結ぶ線分の，x 軸の正方向からの回転角を θ とするとき，点 P が描く曲線を媒介変数 θ で表せ。

重要 例題 170　□ 

O は原点とする。点 P が円 $x^2+y^2-2x+2y-2=0$ の周上を動くとき，半直線 OP 上にあって，OP・OQ$=1$ を満たす点 Q の軌跡を求めよ。

練習 (重要) **170**　xy 平面上に円 $C_1 : x^2+y^2-2x=0$，$C_2 : x^2+y^2-x=0$ がある。原点 O を除いた円 C_1 上を動く点 P に対して，直線 OP と円 C_2 の交点のうち O 以外の点を Q とし，点 Q と x 軸に関して対称な点を Q′ とする。このとき，線分 PQ′ の中点 M の軌跡を表す方程式を求め，その概形を図示せよ。

重 要 例題 171 □ 

z を 0 でない複素数とし，x，y を $z+\dfrac{1}{z}=x+yi$ を満たす実数，α を $0<\alpha<\dfrac{\pi}{2}$ を満たす定数とする。z が偏角 α の複素数全体を動くとき，xy 平面上の点 $(x,\ y)$ の軌跡を求めよ。

練習 (重要) **171**　0 でない複素数 z が次の等式を満たしながら変化するとき，点 $z+\frac{1}{z}$ が複素数平面上で描く図形の概形をかけ。

(1)　$|z|=3$

(2)　$|z-1|=|z-i|$

22. 極座標，極方程式

基本 例題 172

□ 

(1) 極座標が次のような点の位置を図示せよ。

$\mathrm{A}\left(3,\ \dfrac{2}{3}\pi\right)$,　　$\mathrm{B}\left(2,\ -\dfrac{3}{2}\pi\right)$

(2) 極座標が次のような点Pの直交座標を求めよ。また，直交座標が次のような点Qの極座標 $(r,\ \theta)$ $(0 \leqq \theta < 2\pi)$ を求めよ。

$\mathrm{P}\left(2,\ -\dfrac{\pi}{3}\right)$,　　$\mathrm{Q}\,(\sqrt{3},\ -1)$

練習 (基本) **172**　(1) 極座標が次のような点の位置を図示せよ。また，直交座標を求めよ。

(ア) $\left(2,\ \dfrac{3}{4}\pi\right)$

（イ） $\left(3,\ -\frac{\pi}{2}\right)$

（ウ） $\left(2,\ \frac{17}{6}\pi\right)$

（エ） $\left(4,\ -\frac{10}{3}\pi\right)$

(2) 直交座標が次のような点の極座標 $(r,\ \theta)$ $(0 \leqq \theta < 2\pi)$ を求めよ。

（ア） $(1,\ \sqrt{3})$

(イ) $(-2,\ -2)$

(ウ) $(-3,\ \sqrt{3})$

基本 例題 173

□ 

O を極とする極座標に関して，2 点 A$\left(4,\ -\dfrac{\pi}{3}\right)$，B$\left(3,\ \dfrac{\pi}{3}\right)$が与えられているとき，次のものを求めよ。

(1) 線分 AB の長さ

(2) △OAB の面積

練習 (基本) **173**　O を極とする極座標に関して，3 点 A$\left(6,\ \dfrac{\pi}{3}\right)$，B$\left(4,\ \dfrac{2}{3}\pi\right)$，C$\left(2,\ -\dfrac{3}{4}\pi\right)$ が与えられているとき，次のものを求めよ。

(1)　線分 AB の長さ

(2)　△OAB の面積

(3)　△ABC の面積

基本 例題 174

極座標に関して，次の円・直線の極方程式を求めよ。ただし，$a>0$ とする。

(1) 中心が点 $(a,\ \alpha)$ $(0<\alpha<\pi)$ で，極 O を通る円

(2) 点 A $(a,\ 0)$ を通り，始線 OX とのなす角が $\alpha\left(\dfrac{\pi}{2}<\alpha<\pi\right)$ である直線

練習 (基本) **174** 極座標に関して，次の円・直線の方程式を求めよ。

(1) 中心が点 A $\left(3,\ \dfrac{\pi}{3}\right)$，半径が 2 の円

(2) 点 $A\left(2,\ \dfrac{\pi}{4}\right)$ を通り，OA (O は極) に垂直な直線

基本 例題 175

(1) 円 $(x-1)^2+y^2=1$ を極方程式で表せ。

(2) 次の極方程式はどのような曲線を表すか。直交座標の方程式で答えよ。

(ア) $r=\sqrt{3}\cos\theta+\sin\theta$

(イ) $r^2\sin 2\theta=4$

練習 (基本) **175** (1) 楕円 $2x^2+3y^2=1$ を極方程式で表せ。

(2) 次の極方程式はどのような曲線を表すか。直交座標の方程式で答えよ。

(ア) $\dfrac{1}{r}=\dfrac{1}{2}\cos\theta+\dfrac{1}{3}\sin\theta$

(イ) $r=\cos\theta+\sin\theta$

(ウ) $r^2(1+3\cos^2\theta)=4$

(エ) $r^2\cos 2\theta=r\sin\theta(1-r\sin\theta)+1$

基本 例題 176

□ 

点 A の極座標を (10, 0), 極 O と点 A を結ぶ線分を直径とする円 C の周上の任意の点を Q とする。点 Q における円 C の接線に極 O から垂線 OP を下ろし，点 P の極座標を $(r,\ \theta)$ とするとき，その軌跡の極方程式を求めよ。ただし，$0 \leqq \theta < \pi$ とする。

練習 (基本) **176**　点 C を中心とする半径 a の円 C の定直径を OA とする。点 P は円 C 上の動点で，点 P における接線に O から垂線 OQ を引き，OQ の延長上に点 R をとって QR$=a$ とする。O を極，始線を OA とする極座標上において，点 R の極座標を $(r,\ \theta)$ (ただし，$0\leqq\theta<\pi$) とするとき

(1)　点 R の軌跡の極方程式を求めよ。

(2)　直線 OR の点 R における垂線 RQ′ は，点 C を中心とする定円に接することを示せ。

基本 例題 177　□　解説動画

a，e を正の定数，点 A の極座標を $(a,\ 0)$ とし，A を通り始線 OX に垂直な直線を ℓ とする。点 P から ℓ に下ろした垂線を PH とするとき，$e=\dfrac{\mathrm{OP}}{\mathrm{PH}}$ であるような点 P の軌跡の極方程式を求めよ。ただし，極を O とする。

練習 (基本) **177**　(1)　極座標において，点 A $(3,\ \pi)$ を通り始線に垂直な直線を g とする。極 O と直線 g からの距離の比が次のように一定である点 P の軌跡の極方程式を求めよ。

(ア)　1 : 2

(イ)　1：1

(2)　次の極方程式の表す曲線を，直交座標の方程式で表せ。

(ア)　$r=\dfrac{4}{1-\cos\theta}$

(イ)　$r=\dfrac{\sqrt{6}}{2+\sqrt{6}\cos\theta}$

(ウ)　$r=\dfrac{1}{2+\sqrt{3}\cos\theta}$

基本 例題 178

□ 

2 次曲線の 1 つの焦点 F を通る弦の両端を P，Q とするとき，$\dfrac{1}{\mathrm{FP}}+\dfrac{1}{\mathrm{FQ}}$ は，弦の方向に関係なく一定であることを証明せよ。

練習 (基本) **178**　放物線 $y^2=4px$ $(p>0)$ を C とし，原点を O とする。

(1)　C の焦点 F を極とし，OF に平行で O を通らない半直線 FX を始線とする極座標において，曲線 C の極方程式を求めよ。

(2) C 上に 4 点があり，それらを y 座標が大きい順に A，B，C，D とすると，線分 AC，BD は焦点 F で垂直に交わっている。ベクトル $\overrightarrow{\mathrm{FA}}$ が x 軸の正の方向となす角を α とするとき，$\dfrac{1}{\mathrm{AF}\cdot\mathrm{CF}}+\dfrac{1}{\mathrm{BF}\cdot\mathrm{DF}}$ は α によらず一定であることを示し，その値を p で表せ。

基本 例題 179

□ 解説動画

曲線 $(x^2+y^2)^2=x^2-y^2$ の極方程式を求めよ。また，この曲線の概形をかけ。ただし，原点 O を極，x 軸の正の部分を始線とする。

練習 (基本) **179**　曲線 $(x^2+y^2)^3=4x^2y^2$ の極方程式を求めよ。また，この曲線の概形をかけ。ただし，原点 O を極，x 軸の正の部分を始線とする。